약속의 네버랜드

THE PROMISED NEVERLAND

18

Never Be Alone

원작 Kaiu Shirai

그림 Posuka Demizu

등장인물 소개

GF하우스의 아이들

앞으로 2개월 안에 귀신이 관리하는 농원에 수용된 모든 아이들의 해방이 목표.

레이

탈주중

GF하우스의 아이들 중 유일하게 노먼과 겨룰 수 있는 지략가.

엠마

탈주중

뛰어난 운동신경과 높은 학습능력을 가진 무드메이커.

노먼

탈주중

뛰어난 분석력과 냉정한 판단력을 겸비한 GF하우스 제일가는 천재.

캐롤

IN GF하우스

필

IN GF하우스

길다

탈주중

돈

탈주중

Λ7214의 탈주자

귀신의 거듭된 실험으로 초인적인 힘을 얻었다. 숭배하는 노먼과 함께 여러 농원을 부순다.

저지 / 바바라 / 시슬로 / 빈센트

길란 가

왕과 귀족들에게 복수하기 위해 노먼과 손잡는다.

사혈의 소녀 일행

귀신을 인간형으로 유지하는 피의 힘 때문에 왕들에게 먹혔지만 은밀히 살아남았다.

폐기 식용아

귀신이 농원에서 빼돌려 길렀다.

왕가

여러 신하를 거느리는 귀신 세계의 왕.

5섭정

왕가와 함께 귀신 세계를 통치하며 인간을 기르는 농원을 운영한다.

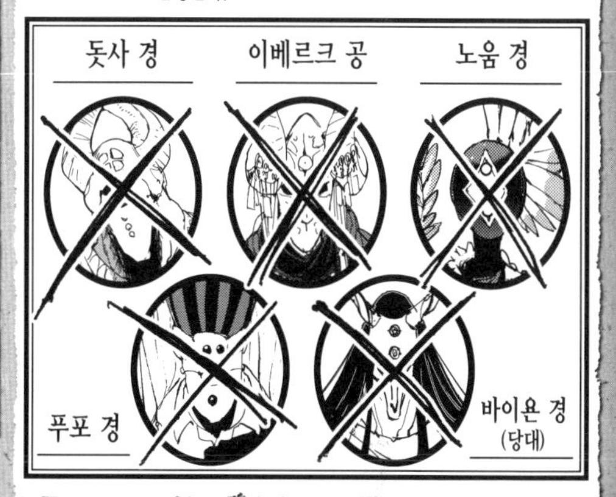

지난 줄거리

자기들이 귀신의 식량으로 사육되고 있었다는 것을 안 엠마는 살기 위해 14명의 친구들과 함께 고아원 GF 하우스를 탈옥한다. 그리고 많은 만남을 거쳐 엠마는 모든 식용아의 해방을 결의하지만, 적에게 들켜 습격당한다. 그 후 살아남은 아이들과 함께 목적을 이루려 나아가는 가운데, 탈옥하기 전에 죽은 줄 알았던 노먼과 재회한다. 하지만 노먼은 귀신의 절멸을 내걸었고, 찬동할 수 없었던 엠마는 사람과 귀신의 새로운 방향을 찾기 위한 '약속'을 맺는 데 성공한다. 하지만 그 동안에도 노먼의 계획은 멈추지 않고, 왕도로 진군한 그는 귀신의 여왕을 살해했다. 그리고 그 자리에서 엠마와 노먼은 재회하는데….

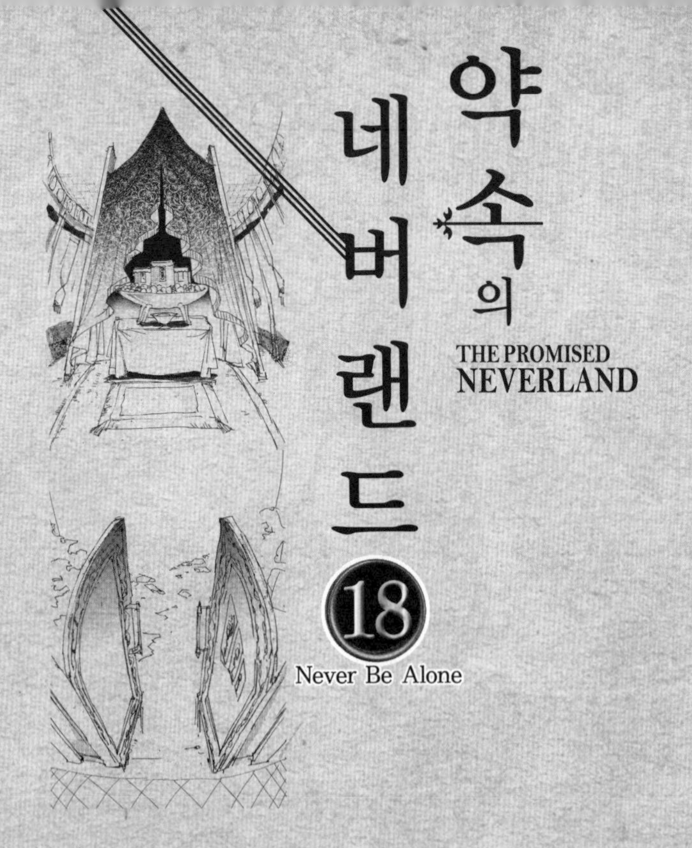

차례

비명과도
같다.

제 153 화 겁쟁이

제 153 화 겁쟁이

노먼.

엠마…
레이….

다행이다. 둘 다 무사히 돌아왔구나.
그래도 아쉽게 됐다.
한 발 늦었어.

이제 다
끝났어.

엠마.

이걸
모두….
죽였어.

서로 죽이게
만들었지.
이제 다
죽었어.
왕, 귀족,
길란 가 모두.

노먼!
'약속'은
맺었어.
우리 모두
인간 세계로
도망갈 수
있어!

더는 싸우지 않아도 돼.
응? 지금부터라도 '절멸' 같은 짓은 그만두자.

이미 늦었어.
이젠 그럴 수 없어, 엠마.

왕정은 붕괴했어.
수천 년이나 이어져 내려온 왕정이.
이제 귀신들을 통치할 수 없어, 화평도 불가능해.
마지막 남은 이베르크는 내가 죽였어.

우리는
귀신 사회에
균열을
일으켰어.
치명적인
균열을.
이제 이대로
가기만 하면
얼마 안 가
파괴되겠지.

모든 귀신을
죽여
없앨 거야.
절멸까지
한 걸음
남았어.
이제
돌이킬 수는
없어.

절멸밖에
없어,
엠마.
방해하지
말아줘.

싫어.

뭐?!
싸우지 않아도 되는데 굳이 살육하고 전쟁을 할 의미가 없잖아!
나 자신도 절멸은 싫고,
그런 일로 노먼을 살육자로 만드는 건 더 싫어!!

엠마….

방법을 찾자.
무리라고 해도 생각을 하자!
아무리 어려워도 포기하면 안 돼! 세상에 너무 늦은 건 없다구!
엠마.
나는.

결심했어.
이제 노먼이 스스로를 죽게 하지 않기로.
노먼을 혼자만 보내지 않기로.

?
…….
…무슨 말이야?
나는 아무데도 안 간다고 했잖아.

!!
노먼은 원래 거짓말쟁이니까 난 못 믿어!
그렇게 몇 번씩 속아줄 것 같아? 내가 바보니?
같이 자란 가족을 얕보지 마!
나도 네 속이 훤히 보인다구!!

「노먼은 어때? 괴롭지 않아?」
노먼은 그때 아무 말도 못했어.
사실은 괴롭지?
그래도 넌 똑똑하니까 확실한 길을 택하고,
다정하니까 모두의 몫까지 혼자 짊어졌을 뿐이야.
절멸시키고 싶다는 생각도 없고!
살육하고 싶다는 생각도 없으면서!
노먼, 너 자신한테까지 거짓말하지 마.
사실대로 다 말해!
뭘 숨기는 거니?
뭐가 그렇게 두려워?
두렵냐고?

나는
지금의 노먼이,
무서워
떨고 있는
작은 아이로만
보여.
무서워?

그래,
난 줄곧
무서웠어.

정체 모를
약들.
언제 찾아올지
알 수 없는 출하.
실험.
오직
나 혼자.
그래도.
살아서
여길 나갈 거야.
다시 한 번
엠마와 레이,
모두를
만날 거야.
윽,
아…!
우웩
?!!
그 희망이
있었으니까.
수단 같은 걸
가릴 수
없었다.
한시도
멈출 수는
없었다.

너는
이길 수 있어,
싸울 수 있어.
괜찮아.
나는 강해,
괜찮아.
조금만 더.

오지 마.

여기까지 온 이상 이제 되돌아갈 생각은 없어.
싫어.
이번엔 절대 보내지 않겠어!

그래.
나는 무서워.

귀신이 무서워.
낯선 인간 세계가 무서워.
내 실수 때문에 엠마나 레이, 모두가 죽게 될까봐 무서워.
무서워.

그래,
나는 무서우니까
확실한
길을 택해서,
무서우니까
모두 혼자
짊어진 거야.

노먼은
누구보다 강하고
다정하지만,
그만큼
겁쟁이고
교만해!!

이젠
혼자가
아니잖아.
겁내지 말고
우리를 믿어.
괴롭고 힘들고
무서운 걸
우리한테도
나눠 주고,
짊어지게
해줘.
그래,
폼 잡으면서
혼자만
떠안지 말고,
다 토해내!

지켜 주지
않아도 돼.
나는
노먼 옆에서
걷고 싶어!

가족이자
형제이자
친구잖아,
섭섭하게.
네가 고통받는
미래 같은 걸
우린
바라지 않아!
이 앞에
어떤 결과가
기다린다 해도.

그래서 너는?
어떻게
하고 싶어?
어떻게 하고
싶은 거냐구,
노먼.

안 돼….
이제
늦었어….
나는 이제
돌아갈 수 없는
지점까지 왔어.
엠마나
모두의 곁에서
함께 걸을 수
없어.

내가 지금까지
무슨 짓을 했는지
너희들은
아무것도 몰라.
알고 있어.

지하에서
벌인 '실험'도
알아.
성 밖에
퍼뜨린 독도,
무지카와
송쥬에게
하려던
일들도.
!
너무
늦는 건
없어!
우리 다 같이
힘을 합치자!!
약해도
좋아.
그게
노먼의
본심
이라면.
함께 헤매고,
함께 발버둥치고,
함께 웃자.

함께
살아가자!
노먼!!
이번에는
꼭!!

아아,
살고 싶어.

살고 싶어,
나는 살고 싶어.
엠마와 레이와 함께.

그래도…
역시
할 수 없어.

우리는…
그리 오래
살 수 없어….
살 수 없어.

…와줘.
도와줘.
엠마…
레이.

나는 강해
괜찮아
싸울 수 있어.
조금만 더
도와줘…

제 154 화 돌파구

그래도
할 수 없어.

도와줘,
엠마…
레이….
제 154 화 돌파구

노먼….

맞아,
보스는
괜찮은 줄….
보스…
무슨
소리야
….

뭐? 「우리…」
라고?

!!
그건
거짓말
이야.

보스는 GF였고…
특상품이고…
'샘플'이라고….
보스만은…
'실험체'가
아니었으니까….

그 시설에서
나만 따로
관리된 것은
사실이지만,
나도 같은…
그 투약실험을
받았어….
발작도 이미
레벨4까지
진행됐고….

보스,
왜 그런
거짓말을….
그럴
수가….

……
나는 믿음직한 보스여야 했으니까.
눈치 보거나 배려하게 하긴 싫었어.
미안해.
너희에게 정말 미안해.
……!
이제 다 말한 거야?
응.
그래서? 다시금 네가 진심으로 하고 싶은 일은?
응….
왕과 귀족을 죽인 것은 후회하지 않아.
하지만 더 이상 죽이지 않아도 된다면 이젠 아무도 죽이기 싫어.
절멸은 그만두고 싶어.
성 밖에 뿌린 독… 이미 저지른 일은 끝까지 책임지고 싶어.
그리고 Λ 출신인 모두의 생명을 포기하기 싫어.
가능성은 한없이 낮지만….
다시 한 번… 아니, 남은 시간 동안 몇 번이라도,
나 자신의 생명까지 포함해서….

알았어.
이제 맡겨 둬.
우리가
도와줄게.

걱정 마.
같이 방법을 찾자.

모두 다…!
같이 해결하는
거야…!

웃기지 마.

이제 와서
뭐야…!

나는, 우리는 목숨 같은 거 어떻게 되든 상관없어!
귀신을 절멸시켜야 우리가 구원받아.
그리고 새로운 세계를 만드는 거야!!

절대 물러나지 않겠다고 했잖아, 보스…!

그런데 이제 와서….
게다가 그냥 물러나는 게 아니라, 우릴 막겠다고…?
그럴 수가….

난 절대 못 그만둬!!
당신이 그만둔다 해도, 아무리 막아도 나는ㅡ.

이제 됐어, 빈센트.
!

이제
할 만큼
했잖아.

어렴풋이
느끼고
있었어.
보스의
괴로움도,
진짜 생각도.

하지만 보스는
굉장하니까,
할 수 있으니까.

보스의 능력에만
의지하며
모두 짊어지게
해 버렸지.
우리가,

보스를
우리 복수의
도구로
이용했던 거야.
보스도
한 사람의
인간인데
말이지.
......

보스는 보스가 하고 싶은 대로 해.
절멸을 그만두고 싶으면 그만두자.

여기까지 해 줬으면 충분해.
물론 귀신은 밉고, 열받고, 용서가 안 되지.
복수는 하고 싶지만.

난 복수보다 보스가 소중해.
나는 널 따를게, 보스.

응.
아우아—.
뿌득
……윽.
노먼.

우선
Λ 발작에
대해,
우리도 돈과
길다한테서
들었어.
!

「엠마,
그리고
또 한 가지.」

「Λ 7214에서
실험체에게
투여한,
특정 시험약이
원인이 되어
일어나는
치사성
약물장해와
발작」.

어떻게….

그래서
돈과 길다가
알아차렸어.

「그 약은 Λ의 실험체
전원에게 투여됐고,
그 전원에게 발작이
일어났어….」

「응?
가만,
이상하지
않아?」

그럼….
아담은?

…뭐?

아담은 발작이 일어나지 않았어.

아담도 같은 투약을 받았을 텐데,
「Λ 에서 나온 지 약 2년 동안 아담은 단 한 번도 그런 증상이 일어나지 않았다」고 했어.

아니… 가만, 하지만… 그건.
아직… 발작이 안 일어났을 뿐이지….
발작도 개인차가 있고….
그 녀석이라고 앞으로 발작이 안 일어난다는 법은….

하지만 단 한 번도… 라고?
∧를 떠나서 아무 처치도 안 받았는데…?

만약 정말… 아담 혼자만… 그 투약을 받고도 약물장해나 발작이 일어나지 않았다면….

「아지트에 소식은 보냈어.」

「지금 아지트에서 안나와 아이들이 조사하고 있을 거야.」

「가능성은 있다고 봐.」

아담에게
Λ 출신 모두의
생명을 구할
돌파구가 있어.

다만 느긋하게 있을 수는 없어.
왕이 보낸 병사들이 아지트를 찾고 있어.
!!

왕병들이…?
그래, 이 왕도로 오는 도중에… 이틀 전 아침에 봤어.
노먼, 아마 네가 쫓아 보낸 병사들일 거야.
그런데 왜….

…….
올리버, 잭, 나이젤, 질리언이.
아지트에 연락하고 대처를 맡고 있지만….
그 대군에게 들키면 다들 속수무책일 거야.

어서 여길 떠나서 아지트로 돌아가는 게 좋겠어.
물론 성 밖의 혼란도 수습해야 하지만.

하하….
하지만 그걸 어떻게?

아마 성 밖의 민중들에게 이미 독이 퍼졌을 거야.

왕들은 물론 죽은 길란과 5섭정까지,
그 혈육은 모두 독으로 오염됐어.

괜찮아!
지금 돈과 길다도 성 밖에 와 있고, 무지카와 송쥬도 되도록 피해를 줄여 주고 있어.
그래, 우리가 부탁하고 왔으니까.

!
돈과 길다가!
그보다 사혈을 정말 찾았단 말이야?

둘로 갈라지자.
나와 레이는 왕도에 남아서 성 밖을 수습할게.
노먼, 너는 모두를 이끌고 돌아가서 아지트를 지켜.
......

알았어!

움직일 수 있어, 바바라?
응… 아파 죽겠지만….

ㅅ를 얕보지 마. 오기로라도 안 죽을 테니까…!!

시슬로, 먼저 가서 말을 부탁해.
알았어.
바바라, 조금만 더 견뎌.
헤헤… 괜찮아.
빈센트는 탈출경로 동선 확보를… 부탁해도 될까?

쯔음…
…알았어.
하지만… 어떻게 들켰지? 왕도 병사들에게….
헉헉
그건 아마—.

22

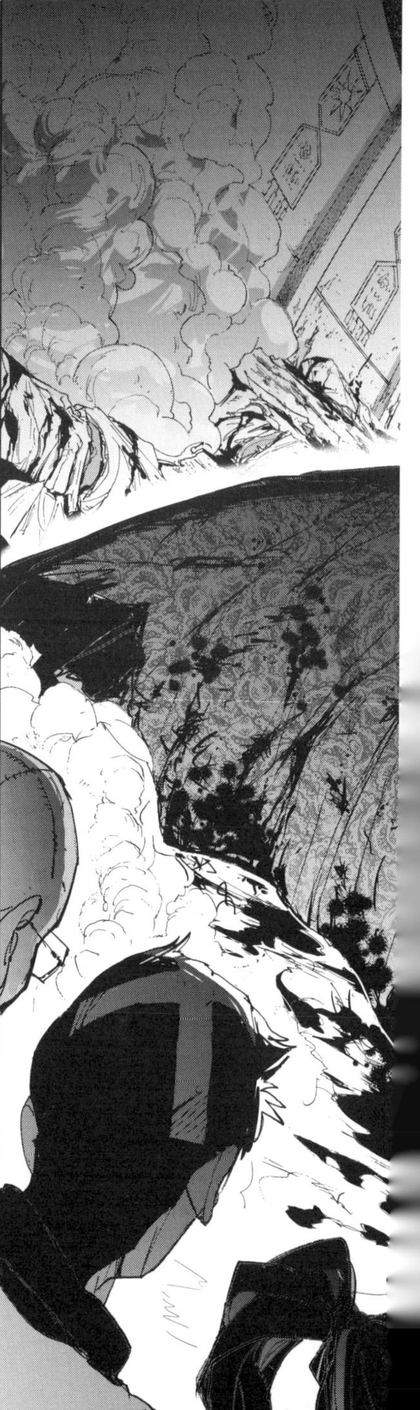

22194
개애애애

5세
저지
5세
빈센트
5세
시슬로
5세 바바라

제 155 화 부활

부글룩
부글룩
아빠!!
엄마!!
윽….
꺄아아아아아악

한 사람도 죽게 하지 않겠어.
하지만 이 많은 수를 죽이지 않고 움직이지 못하게만 하긴 어려워.
아이셰는 굉장하구나.
게다가.
꺠애애애애
투슉
투슉
투슉

불룩
금방 재생하잖아!!
으, 이이이.
불룩
이봐. 一어.
헉

또 늘어났다!!
꺄아아악

무지카와 송쥬의 사혈은 퇴화한 귀신을 인간 형태로 되돌릴 수 있어….
이 독에도 효과가 있다면….

척

하지만 이렇게 됐는데,
어떻게 피를 마시게 하지…?

슈파악
!!!
덥석
부
시험하려면
이게 가장
빠르지!
……….
웅

효과가
있어!!

아빠!
아빠!!
고마워!!
고마워!!

걱정하지 마.
이걸 마시면
다들 원래대로
돌아오고,
너희들도
퇴화하지
않을 거야.

홀짝

좋았어!
이쪽은 문제없어.

반드시 수습하고 말겠어.

그러니까 노먼을 부탁한다!!

엠마!! 레이!!

보스───!!!
제 155 화 부활

으아아아악!
시슬로——!!

시슬로!!
시슬로, 정신 차려!!
우걱
?!
이봐, 상태가 좀 이상한데….
베마….
케비라 부페!
그으….
크켁….
엠마! 그쪽을 잡아!!
응.

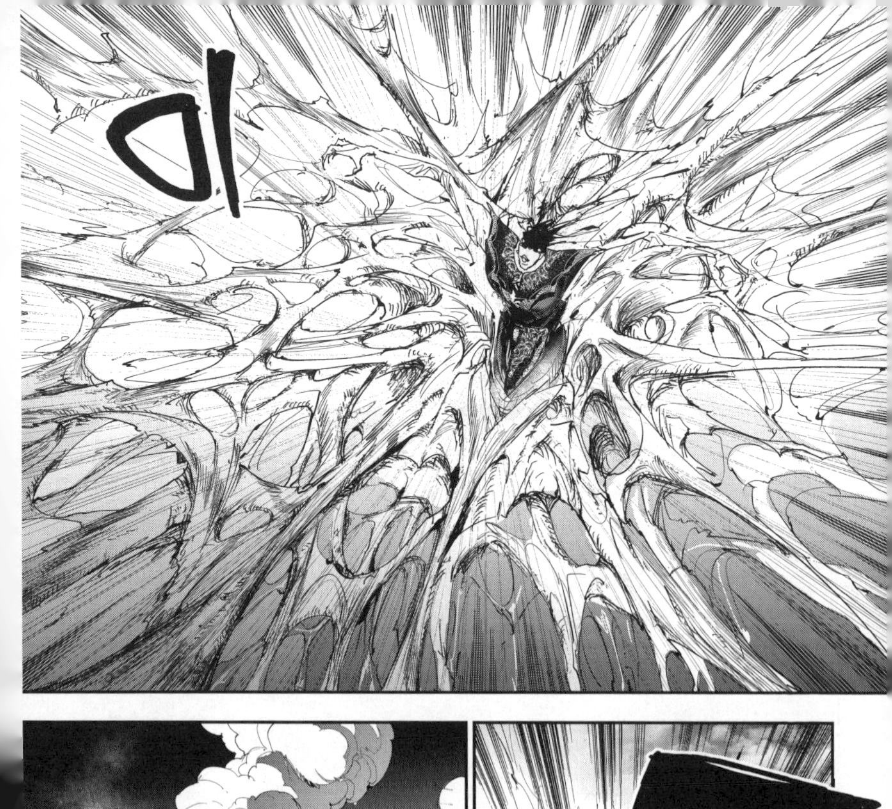

쥐이
으아아아아아

먹고 있어….
조심해!!

이 놈은….
제 몸에
닿는 걸
닥치는 대로
잡아먹고
있어!!

이럴
수가
….
독으로 오염된
귀신 시체마저
아랑곳
없이…!

콰악

점점
몸집이
커져….
아니,
그것만이
아니야.

저게 뭐지...
저것도...
'귀신'인가?

어떡하지? 이대로 놔둘 수는 없잖아.
독과 보급에 의한 형질변화로 세포가 완전히 폭주한 건가…?
완전히 뒤죽박죽 이야….

핵은 파괴 했어… 분명히.
틀림없어! 내 눈으로 확인했다고!

여왕은 「핵을 부숴도 죽지 않는」 건가?
아니면.

그럼….

「왕 또는 왕족에게는,
핵이 여러 개 존재하는」 걸까?
'왕의 피는 특별하다'.

!
빈센트. 시슬로와 모두를 데리고 먼저 아지트로 돌아가.
…….
보스는?
저지와 함께 남을게. 여왕을 처리하고 나면 바로 따라갈 테니까!
—윽.
하지만 그럼….

여기는 위험해.
어서…!
부탁해!!
아우아ㅡ.
턱
알았어!!
닥
그…
기이
…
게….
다음은
뭐지?

온다!!
엠마,
레이,
노먼.
오랜만
이야.
어?
어,
어떻게.

이놈,
여왕!
폐하.
길란 님.
아바마마,
어마마마.
엠마.
레이.
노먼.
이럴
수가…
설마.
이게
전부
지금까지
먹은——.

모르겠어.
대체 무슨 일이
일어난 거지?

저걸…
대체 어떻게
하면 좋아?

뚜벅
뚜벅
뚜벅
뚜벅

귀신 형제
아우라와 마우라
축제다
축제

으지직

뚜벅

뚜벅
뚜벅
제 156 화 끝을 내자

뚜벅

저건
뭐지?

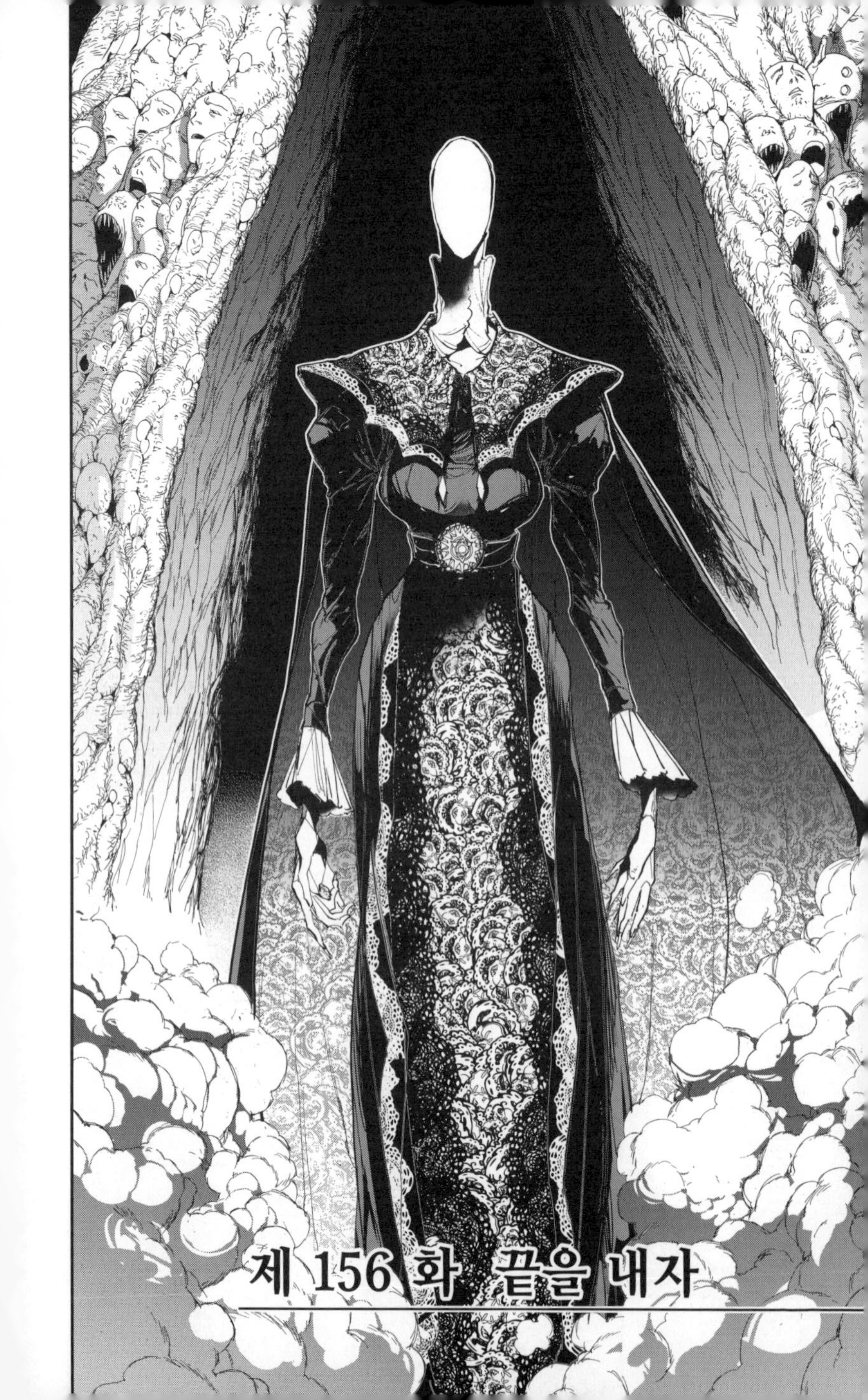
제 156 화 끝을 내자

얼굴이…
없어.
…….

마치….
그 사원에 있던….

여왕이… 부활한 건가?
곤충이 우화하는 것처럼….

여왕…
맞지?

이리도
기쁠 수가.

!

다
모였구나.
눈을 뜨니
눈앞에.

최고급 GF
제3 플랜트 특상
세 마리가.

기쁘도다.

그 자의
말대로.
너희들은 모두
살아 있었구나.

용서하마.
짐의
도시에 대한
공격도,
짐의
신하들에
대한
공격도.
짐에 대한
공격도.

Λ의 식용아도,
GF의 탈주자도.
모두 짐의
수중으로
돌아왔으니.

모두.
스윽
짐이.

먹을
것이다.

척
저지!!
읏?!

콰앙

저지——!!
마하하하
하하하하하
하하
마하하

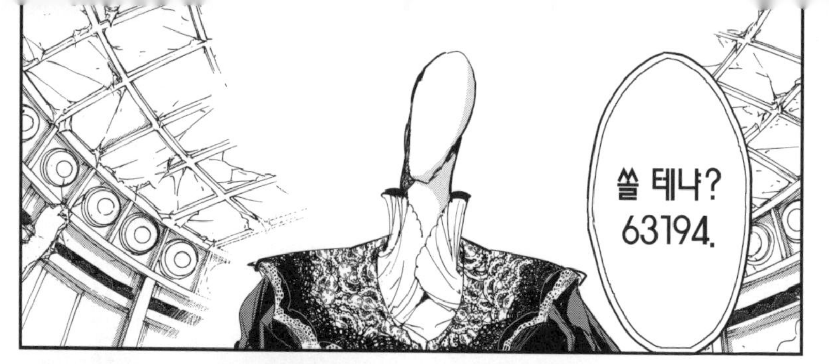
쏠 테냐?
63194.

81194.
…윽.
……….

저지를…
일격에….
완전히
회복
됐어.
길란 일파와
싸우게 해서
그만큼
소모시켰는데.
아니,
머리를
갈라 버려도
태연히─.
아니, 문제는
갈라진
머리 속에
뇌도 아무것도
없었다는
거다.

얼굴이 없어.
눈이 없어.
핵도 없나?
그렇다면
대체 어떻게
해야─.
아니.

저 귀신은
나와 엠마를
식별했어.
보인다는
뜻이야.
눈도 핵도
아직 없다고
단정할 순 없어.

침착하자.
사로잡히지 마.
핵이 움직이거나,
숨겨진 위치가
다른 귀신과는
다른지도 몰라.

총 같은 건
아마 쏴도
소용없겠지.
그래도!

뭔가
힌트를 얻는
의미로는,
충분해!!

어.
이건
뭐지.
무서워.
위험해.
움직일 수가
없어.

아…
엠마!!
레이!!
움직여
움직여
움직여!
착한
아이들.

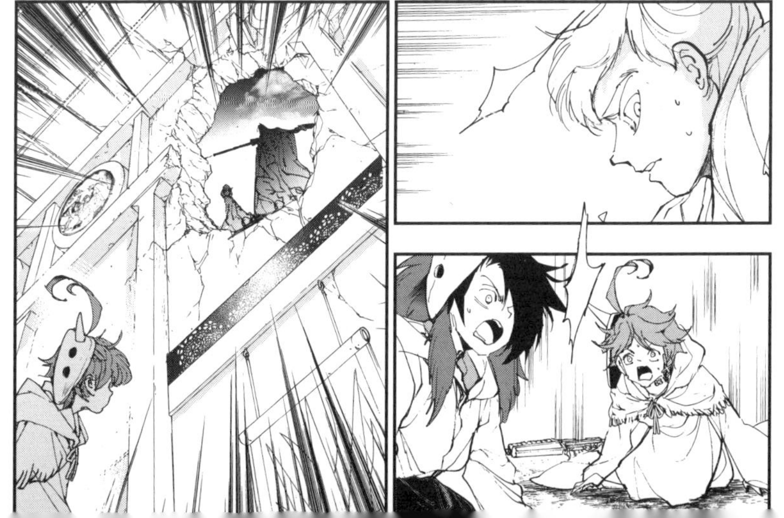

송쥬!
무지카 ...!!

너무 기다리게 했군.
펑
찰샥
찰샥
찰샥

둘 다 괜찮아? 다친 데는 없어?
덕분에 살았어.
고마워!

성 아래는 대강 정리됐어.
이제는 주민들 스스로 대처할 수 있어.

「이 피를 마시면….」
「부상자를 옮겨!!」

돈과 길다에게는 샛길을 일러 뒀다.
안심해, 곧 왕도에서 나갈 수 있을 테니까.

「알았어! 우린 걱정 마!」
「어서 가! 엠마와 모두를 부탁해!」
고마워…!!

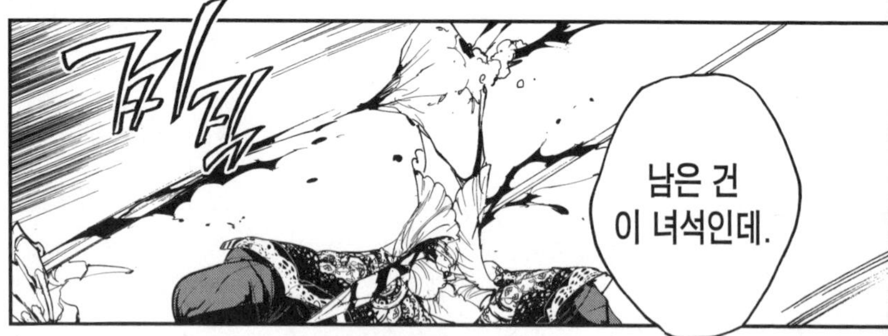
남은 건
이 녀석인데.

챙강
댕그랑

저 모습….

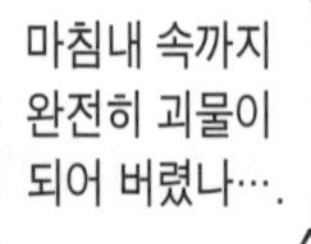
마침내 속까지
완전히 괴물이
되어 버렸나….

엠마, 레이.
여왕은 이제
포기해라.
화평은 고사하고
협상도
가망이 없어.

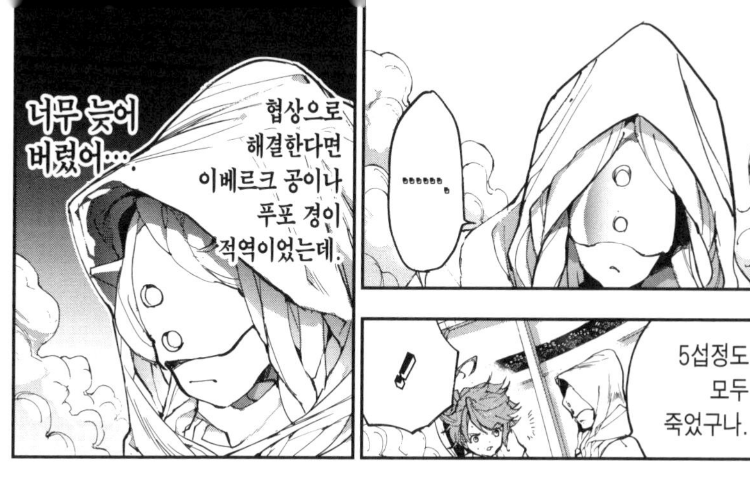
……….
협상으로
해결한다면
이베르크 공이나
푸포 경이
적역이었는데.
너무 늦어
버렸어….
5섭정도
모두
죽었구나.
!

누군가
했더니….
송쥬.
네가
고기의 편을
들다니….
대체 무슨
심경의
변화냐?

그래,
됐다.
사혈을 처리하고
탈주자를
탈환하는 것까지
하루에
해치울 수
있으니.
오늘은 좋은
날이구나.

그래.
우리도 너와
결판을 내러 왔다.

「우리도 왕도로 가자.」
「괜찮지, 송쥬?」
700년… 도망칠 만큼 도망쳤어.
끝을 내자.
꼬옥
여왕, 너는 오늘 이 자리에서 내가 죽이겠다.

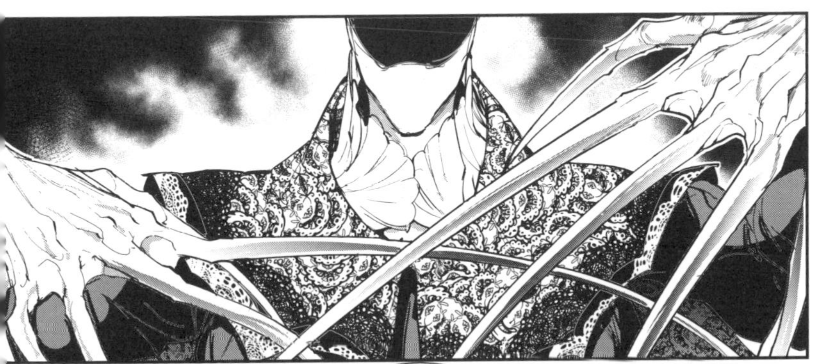

참으로
어리석구나,
아우야.

제 157 화 the world is mine
훌륭합니다.
이 놈이… 아직….
예. 그것이 생명이며,
생명을 사냥한다는 것이지요.
슥…
첫 사냥답지 않게 뛰어난 솜씨군요.
아직 살아 있어.
보십시오, 송쥬 님.
살려고 한단 말이야.

모두가 생명.
우리는 모두,
태어나 살아가는 모든 것이 신이 만든 존엄한 생명.
서로의 생명을 사냥하며, 생명을 이어가는 것입니다.

모든 생명은 빌린 것.
?
그리고 사냥은 '빚'.
본인의 생명에도, 다른 모든 생명에도.
그러니 경의를 표하십시오.
온전히 받은 것이 아니라,
그렇기에 제 손으로 신에게서 빌리고,
교만하지 말고 서로 나누십시오.
모두 신으로부터 빌린 것에 불과합니다.
신에게 돌려드려야 합니다.
이것은 우리가 지켜야 할 도리.

이것이
우리가 영구히
번영해 갈 길.
왕의
아들인
이상,
그것을
결코 잊어서는
안 됩니다.
설령
왕이 되지
못하더
라도.
왕을 지키고
힘이 되기
위하여.

「예,
선생님.」
제 157 화 the world is mine

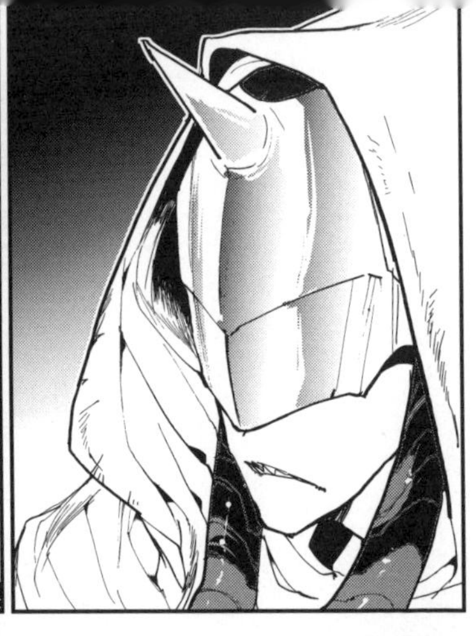

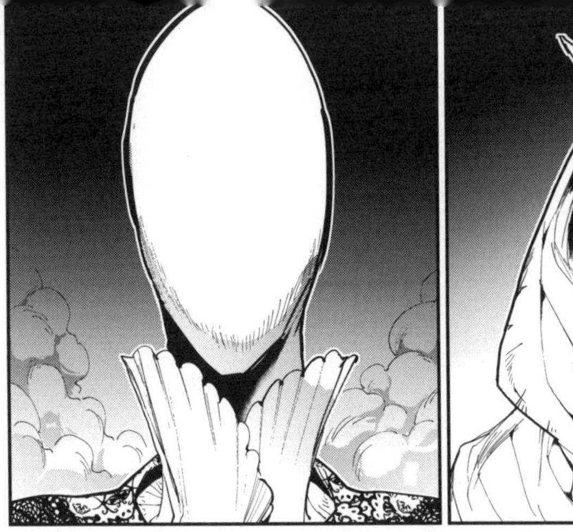

뭐?
아우…?

어리석은 아우야.
짐을 죽이겠다고?

왕의 아들로 태어났으면서,
낡은 신앙에 사로잡혀 왕가의 뜻을 어기며,
사혈을 데리고 달아난 배신자가.

배신자는 너겠지.
사리사욕을 위해 지켜야 할 도리를 어기고,
빌어먹을 '약속'으로 모든 것을 망쳤어.
게다가 '사혈'을 독점하고 없애려 했지.

구역질이 난다.

되었다.
네게는 이미 기대하지 않았으며 관심도 없다.

엠마, 레이, 노먼.
!
이 틈에,
그 아이를 데리고 물러나.

안 돼…
아직 옮길 순
없어.
……
무지카,
저건 뭐지?

저 여왕은
대체….
……

여왕
레그라발리마
에게는
핵이 두 개
있어.
첫 번째 핵이
부서지고
이제 두 번째
핵으로
부활한 거지.

초대 왕으로부터
왕가에 대대로
이어져 내려오는
숨겨진
유전이야.
!!
나도
자세히는
모르지만….

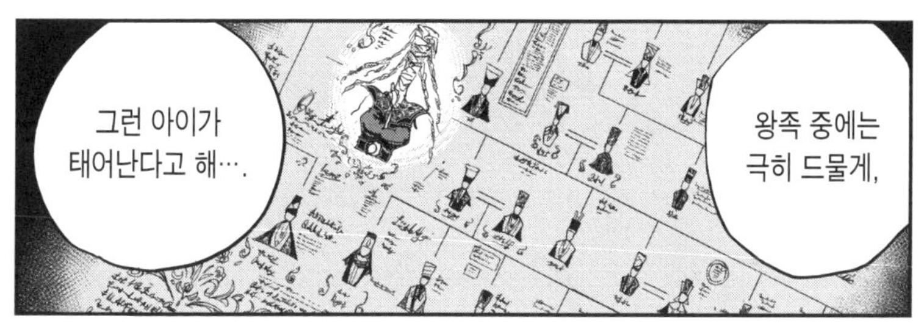
왕족 중에는
극히 드물게,
그런 아이가
태어난다고 해….

송쥬는?
도리
도리

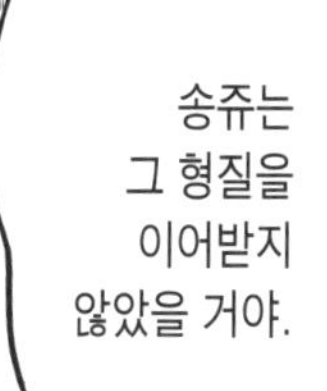
송쥬는
그 형질을
이어받지
않았을 거야.

다른
귀신들
처럼.
선왕의
자식 중에
핵이
둘 있는 것은
레그라발리마
뿐이야.

…….

안 좋은 느낌이 든다.

아니, 원래 가까이 하기 싫은 불쾌한 괴물이었지만.
이제는 그 차원이 달라졌어.
부활하기 전과는 전혀 다른 생물이다.
이것이 제2의 핵… 그 힘인가?
말도 안 돼, 그런 힘은 듣도 보도 못했는데.

됐어, 다행히 첫 번째 핵은 이미 파괴했으니.
설마 인간이… 놀라워.
부술 핵은 또 하나.
문제는 그 위치다.
그걸 아는 것은 당사자인 여왕뿐.
하지만 짐작할 순 있다. 아까 그걸로.
그 순간 여왕이 아주 살짝 몸을 틀어 보호한 위치.

하지만 물론
저건 괴물이니…
핵을 몸속에서
이동시킬 가능성도
제로는 아니야.

제2의 핵은
아마 복부
어딘가에
있어.
배다.

아니, 상관없다.
움직이기 전에
베면 돼.

일격으로
확실하게.

쓰러뜨린다!!

빠르다!

뭐지, 이건?

저건!

길란의 부하들이 갖고 있던….
윽…!
길란 왕께 영광 있으라!!
점액!

빠지질 않아!!

퍼억
쳇.
걱정하지 마라.
돌려 주마.

송쥬!!

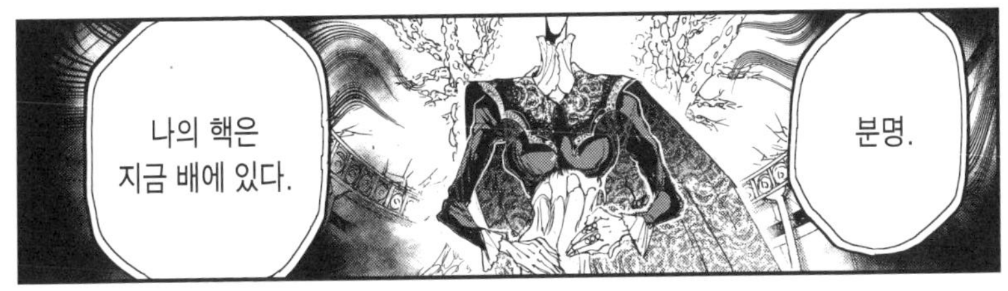
분명.
나의 핵은 지금 배에 있다.

하지만 무슨 상관이겠느냐.

그것을 안들 아무것도 달라지지 않는다.
왕족의 일원인 젊은 너든,
다른 누구든.
아무것도 할 수 없고, 하게 두지도 않을 것이니.
참으로 상쾌하다.

이것이 바로 힘!!
압도적 힘이다!!

송쥬, 너는 모를 것이다.
나도 모르게 웃음이 흘러나오는 전능감!!
그저 되살아난 것이 아니라 다시 태어났다!
힘이 넘치고 오체가 생동하며,
먹은 자의 기억, 힘, 그 모든 것을 나의 것으로 끌어낼 수 있다.
알겠느냐, 나는 이제 그런 경지에 이른 것이다!!

이것이
선택된 자가,
감지하는
세계.

세계는 모두
짐의 것이다.
모든 생명은
짐의 양식.
신하도
백성도,
반역자도
가축도,
부모
형제마저
모두!!

짐은
누구
보다
더 먹고,
누구보다
강해질
것이다!!

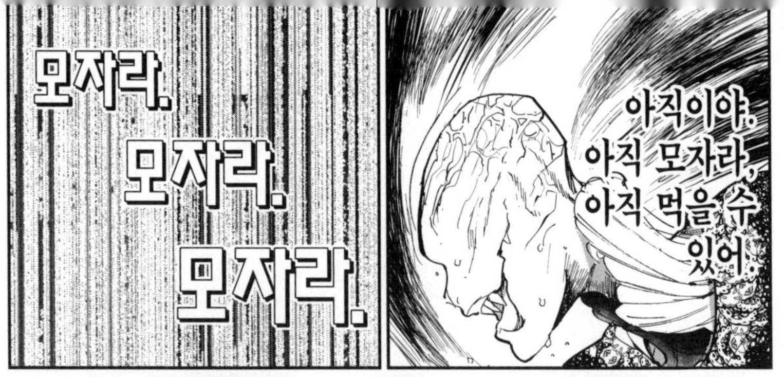
아직이야.
아직 모자라,
아직 먹을 수
있어.
모자라.
모자라.
모자라.

사혈.
GF
하우스.

물러나,
무지카!!

뭐냐,
그 얼굴은.
왜 물러나지 않느냐.
가엾게도.

당신은 왜,
그토록 배를 곯으며 굶주려 있지?

와—
?
?
?

제 158 화 태어난 의미

태어날 때부터
주위와 달랐다.

인육을
먹지 않아도
원래 모습이나
지능을
잃지 않았다.

무엇을 먹어도
형질이
변하지 않고,

대용인육이라며
쫓길 때도
있었다.

「기적의
아이」

굶주림에
고통받는 마을을
구했을 때는
기뻤다.

하지만
모두 죽고,
살아남은 것은
나 혼자.
나만이
살아남아,
700년을
도망 다녔다.
왜 나만
이렇게
다를까….

나는
특별한가?
아니면
이단인가?
나는
누굴까.
왜
살아
있을까.
무엇 때문에
태어난 걸까.
태어나도
되는
거였을까?

내게서
부모도 친구도,
모든 것을 앗아간
여왕.

지금
눈앞에 있는
그녀는.
하고 싶은 말이
가득했다.
쏟아내고 싶은
원망도
산더미였다.
하지만.
가엾게도.

당신은 왜,
그토록 배를 곯으며 굶주려 있지?
누구보다 풍요롭고 뭐든지 손에 넣을 수 있는 당신이.
부웅

카앙

펴엉

괜찮아,
송쥬.
고마워.

?

무슨 소리인가 했더니….
짐이… 배를 곯아? 굶주린다고?

그래.
!

당신은 늘 굶주렸어.
아무리 먹어도, 아무리 많이 가져도, 아무리 위로 올라가도 만족을 모르지.
가엾고,
불쌍해.

사실은 무엇을 하고 싶었지?

뭐가 그렇게 두려워?

하다못해 만족을 느낄 수만 있었다면,
다른 미래가 있었을지 모르는데.
제한 없는 욕망에 사로잡혀,
신에 대한 경의마저 잊고 세계를 삼키다가,
결국 자신을 파멸로 이끌어 왔다는 걸 당신은 미처 몰랐어.

쓸데없는
소리.

욕망은
미덕이다.
욕망이 있기에
누구나 추구하며
욕망이 있기에
누구나 움직이지.
욕망은
모든 것을
움직이는 힘이다.

한없는 욕망은
곧 한없는 힘.
신?
경의?
생명?
나는
어느 것에도
굽히지 않는다.

태어날 때부터
주위와 달랐다.
나는
누구보다
특별하기
때문이야.

나는
그 어떤 것도
두렵지 않아!

내가
파멸한다고?
웃기지
마라.

아니,
당신은 이미
파멸했어.
이미
죽은 거야.
허튼
소리!
그만 짖고
죽어라!
무지카!!

피잉

펑
아…니…?
!
과잉
섭취야.

주륵륵...
당신의 세포는 이미 한계를 넘었어.

역시 제2핵에 특별한 힘 같은 건 없었어.
당신은 독과 대량의 시체를… 세포를 한꺼번에 먹어치웠지.
그것도 첫 번째 핵이 파괴된 빈사상태에서 마구잡이로.

먹은 것을 모두 그대로 끄집어낸 것이 바로,
당신이 그것들을 충분히 소화 못 시켰다는 뜻이야.
이놈, 여왕!
아파, 무서워.
엄마.
살려 주십시오, 폐하.
불룩 불룩

네 이놈.
우오오오오오오!
살려줘.
죽기 싫어.
감히!
무서워.
어머니.
불룩
불룩불룩
길란, 네놈…!

그만둬.
의식이, 기억이.
모두 흘러 들어온다…!!

「알겠니,
무지카?」
「너는 언제나
너 자신이야.」

우리는 무엇이든
될 수 있지만
그 무엇도 아니다.
굶주림이
무섭고,
퇴화가
두려워.
오래
사는 것조차
때로 무엇인지
알 수 없어지지.
?

어디까지가 자신인지.

자신이 무엇인지.

무엇이 되고 싶은지.

태어난 의미를 생각했다.

내가 이 세계에 태어난 의미.

700년 동안 줄곧.

그러다 엠마와 아이들을 만나고 가까스로 알았다.

나는 우리 종족을 바꾸기 위해 태어난 거야.
그리고 이제 이 세계는 변할 때가 왔어.
나는 크로네.
나는 미셸.
나는 길란.
나는 돗사.
나는 바이욘.

나는….
나는 누구인가.
당신은 자기가 먹은 생명에 먹히는 거야.

잘 가요.
레그라발리마
여왕폐하.

※ 3권 제17화에도 있어요

제 159 화 고마워
많이 컸구나
좀 당당하네
군고구마
날름날름
알리시아 7세
천세사탕
필 6세
대장 5세
천세사탕
천세사탕
후후…
캐롤 3세

갖고 싶다.
갖고 싶다.
갖고 싶다.
갖고 싶다.
힘, 찬사.
부, 맛있는 음식.
지위, 명예.
더욱더.
더욱더.
더욱더.
더욱더.

짐이 원한 것은 이것이 아니었나?
「사실은 무엇을ㅡ」.
정말로 원했던 것은 따로 있었다는 말인가?
뭐지?
그것만 손에 넣으면 이 갈증은 채워졌을까?

아니…
그렇다면
어떠한가.
설령
채워지지
않는다
해도….
하지만
뭘까.
이
허무함은….
…모르겠
구나.
아아…
갖고 싶다…
갖고 싶어….
배가
고프다….
내놓아라.
먹고
싶구나….
짐의…
특상
세 마리….

죽었어….
이번에야
말로….

……….
그
'여왕'이….

으….
저지!
다행 이다…!
아직 움직이면 안 돼.
아파?
이제 더는 쫓기지 않아도 돼.
아무도 억울하게 죽지 않을 거야.
아빠, 엄마.
모두….

여왕이 죽었다….
5섭정도 죽었어.
틀림없이 이 세계는 달라질 거다.

정말로 해냈단 말인가.
인간이…
말도 안 돼….
게다가.
설마 '약속'까지….

이걸로
된 것인가?

이대로
저 녀석들이
다시 맺은
'약속'을 이행하면,
나는 앞으로
평생 인간을
먹을 수…
아니,
구경조차
할 수 없게 된다.

「다시 한 번
먹고 싶구나.」
「인간을
배부르게.」

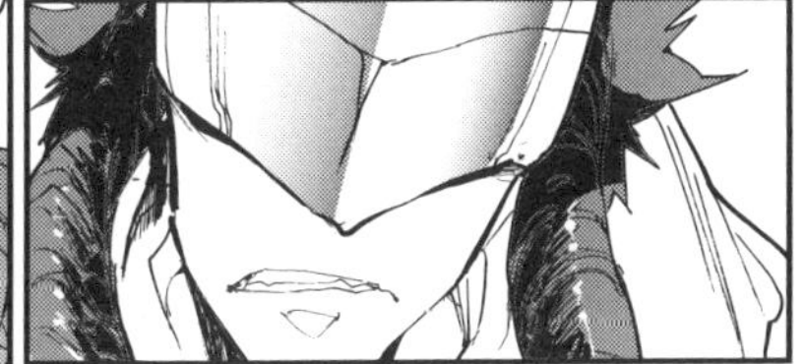

평화교섭이고
뭐고만이
아니라.

이대로
가면.

각지에서
혼란…
폭동이,
자칫하면
전쟁상태에
빠질지도 몰라.

……

저…
송쥬가 될 수는
없을까?
!

다음
왕이.
'여왕의
동생'이라면
송쥬는
왕족이었을 것
아냐.

무리야.

이베르크나
바이욘이라도
남아 있었다면
몰라도.
나는
연줄도 없고
정치라곤 몰라.

뭣보다 나는
'반역자'야.
700년 동안
반역자로
쫓기던 몸이라고.
병사들도 백성들도
내 말을
들어줄 리 없어.
오히려 혼란만
더하겠지.

……….

우리 문제는
우리가 알아서
할게.
엠마,
너희들은
어서 아지트로
돌아가.
!!

걱정하지 마.

인간이 보이지 않아야 사태를 수습하기 더 수월할 거야.

그래도…!

이건 어디까지나 우리 내부의 일이야.
지금이라면 그렇게 만들 수 있어.
중요한 건 더 이상 아무도 죽게 하지 않는 것.

증오의 불길을 더 크게 피우지 않는 거야.

그보다 안 좋은 예감이 들어.
왕도 병사들의 대군이… 만에 하나라도 아지트를 습격했다면 큰일 나.

이제 가봐.
자, 어서.
여긴 걱정 마. 내게 다 생각이 있으니까.
와락
고마워, 무지카…! 고마워…!!
……。
신세 많이 졌다.
역시… 이대로는…。

어엇!
화
악

어.

송쥬도 고마워.
지난 2년 동안 많은 일이 있었어.
여러 귀신을 만났어. 극히 일부긴 하지만.
귀신에 대해, 우리 자신에 대해, 먹는다는 것, 생명이라는 것, 생명을 뺏는다는 것.
굉장히 많은 생각을 했어.

'죽음'에 대해서도 생각했어.

난 말이지.

가족이 죽는 건 절대 받아들일 수 없고.
먹히는 것도 싫어.
나 자신이 죽는 것도 먹히는 것도 싫지만.

상상해 봤어.
만약 내가 죽는다면….
만약에 내가 죽는다면 말이지….

송쥬와 무지카라면
나를 먹어도
좋다고 생각했어.

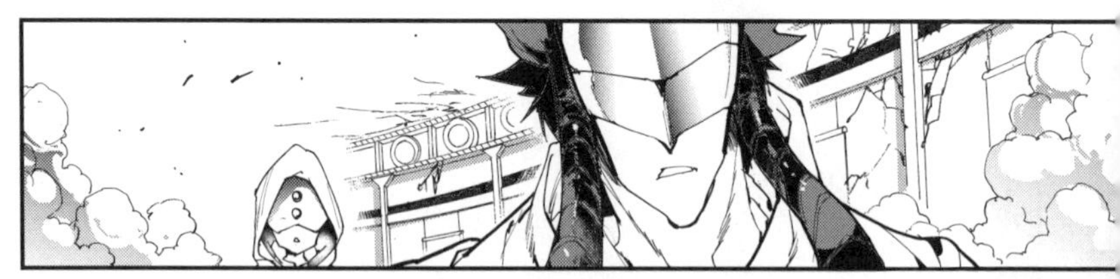

귀신을
죽이고 싶지
않다고
생각하게 된 건.
그때
송쥬와 무지카를
만났기 때문이야.

지금 내가
살아서 여기까지
올 수 있었던 것은,
둘을 만나고
도움을 받았기
때문이야.

고마워.

정말,
정말
고마웠어.
다다다
다다다
가버렸어….
괜찮겠어?
다시는 인간을
먹을 수
없게 될 텐데,
송쥬.

와락
아~~~~~~~!

뭐가 괜찮겠어! 아~~!! 난 진짜 바보야!!
난 송쥬의 그런 점이 좋아.
그럼.

내가 아까 「생각이 있다」고 했지만 사실은 아무것도 없는데, 어떡하지?
…그럴 줄 알았지….

좀 무모하지만 방법이 아주 없진 않아….
이판사판이다.

어서 가자! 아지트로!
그래, 서두르자. 확실히 상황이 안 좋아.

왕병 4000… 그 반이라도 2000…,
이틀 전 아침…,
「그 녀석」.

여왕의 말로 확신했어.
지금 왕병을 움직이는 것은 아마….

러트리 가의 현재 당주,

피터 러트리야.

「만약 그때
포기했다면…」

제 160 화 족쇄

러트리 가는 귀신들에게 밀고할 수 없을 거라 생각했다.
밀고하면 드러나는,
러트리 가의 과실.
전 당주 제임스 러트리와 그 동지들이,
'W.미네르바'라는 이름으로, '지원자'라는 이름으로.
식용아들의 탈주를 조장했고,
도주를 거들었으며,
Λ의 붕괴에도 가담했다는 사실.

그러니 러트리 가는 귀신들과 손을 잡을 수 없어.
맞아.
오히려 들키지 않도록 숨기면 숨겼지.
…하긴 말 못하겠네.
완전히 고립되어 있는 거지.
어디까지나 단독으로.
특히 우리 탈주자를 처리하려면 놈들은 늘 소규모로, 비밀리에 움직여야 해.
놈들이 귀신들의 눈을 피해 우리 탈주자를 찾는 데 혈안이 된 이 틈에,
먼저 왕도와 왕정을 무너뜨려야 해.
따라서 우리는 먼저 왕도를 공략한다.
22

피터 러트리는
매우 답답하겠지.
자기가 한 일과
거의 무관한
이 상황 때문에
언제나 선수를
뺏기는 셈이니까.
미네르바 씨는
죽어서도 우리를
도와주고 있어.
W. 미네르바는
러트리 가
최대의 족쇄야.
실제로
그랬다.
그 말이,
맞았다.

그런 줄만 알았다.

아뢰옵니다.
「여왕에게 모두 말하겠어.」
「피터 님?!」

그들이 사실을 알면 우리는… 아니, 두 세계 사이의 질서는 무너집니다!!

하지만 아직 여왕에게 '최악'은 아니야.

22194도, 다른 특상 두 마리도, 나머지도 아직 버젓이 살아 있어.

'아직 손에 넣을 수 있다'.

그 여왕은 이치나 옳고 그름, 한때의 감정이 아닌 오로지 욕심으로 움직이니까 귀 기울일 여지는 남아 있지.

상관 없어!

말을 못한다? 움직일 수 없다? 그래, 그게 놈들의 계산이다.

그러니 우리는 그 계산을 무너뜨리는 거지. 어떤 위험부담을 지더라도.

질서는 지키겠다. 일족의 명예를 걸고.

더 이상,
식용아들 마음대로 놔둘 수는 없어!
도박에 가까운 결사의 한 수.
과연.
Λ 붕괴는 도적의 짓이 아니다.
Λ의 식용아도 GF의 탈주자도 아직 살아 있을 가능성이 높다.
그리고 놈들이 각 농원을 파괴하며 숨어 있다.
그래서?

이번에 파병한 토벌군 절반을 저희에게 빌려 주십시오.
반드시 탈주자들을 모두 잡아 폐하 어전에 바치겠나이다.
가소롭구나.
왜 짐이 군사를 내주어야 하지?
내 군사를,
너희의 실수 때문에?
면목이 없습니다.
돗사나 바이욘, 이베르크 경이 알면 미쳐 날뛸 것이다.
직접적인 것만도 Λ, GF 등의 큰 피해.
그리고 수렵장 같은 선대 바이욘의 하찮은 놀이터에 그대들이 가담하는 바람에,
돗사, 바이욘, 노움은 사랑하는 가족을 잃었다.

지당하신 말씀입니다.
하오나 솔직한 바람으로,
그렇기에 저도 티파리 전까지 매듭을 짓고 싶습니다.
티파리 직전이라 돗사 경이나 섭정들이 눈치 못 챈 사이에 처리하고자 합니다.
그렇기에 저희 군사만으로는 불가능한 것입니다.
움찔
폐하의 말씀대로 이번 건이 돗사 경 등에게 알려지면,
탈주자의 신병은 분명 그들에게 넘어가고 말 것입니다.
「내 아들의 원수!!」
「내 영지의 농원에 손실이…!!」
저는 폐하께 바치고 싶습니다.
다른 누구도 아닌 오직 폐하를 위해.

저는 약속을
지키겠습니다.
반드시.
참으로
뻔뻔스럽
구나.
그대들의
과실과 함께
내 선에서
묻으라는
말이냐?
좋다.
그렇지
못하면,
군사의 절반인
2000명을
빌려주마.
그대의 고기가
짐의 접시에
오를 것이다.
알겠느냐?
한 마리도
남김없이
모두 짐에게
헌상하라.

폐하의 은혜.
망극 하나이다ㅡ.

기사회생, 역전의 한수….
설마 그런 방법이….

게다가 이렇게 교묘하게… 아무 피해 없이… 귀신들과 단절되거나 싸우지도 않고….

놈들이 아지트를 알까?
물론 모르지— 하지만.

「그 반대다.」

「놈들이 남긴
흔적에서
도출할 수 있는
소굴의 위치와
반대방향을 찾아!」

그놈이라면
찾아낼지
몰라.
피터
러트리.

그리고 이제는
'미네르바'라는
족쇄도 없다.

1000년 전에 지금 이 식용아 시스템을 만든 원흉.
GP에 사냥터를 만들고 많은 아이들을 괴롭히고….
미네르바 씨의 원수….
유고와 모두의 원수….

「온 세상이 너희를 허락한다 해도,
우리는 지금 이 질서를 유지하지 않으면 안 돼.」
「무릎 꿇으라는 말 안 들려?! 돼지새끼들아!!!」!!

러트리 가…!!
63

엠마! 레이…!!

돈!! 길다!!
무사해서 다행이야.

노먼!!

아….
걱정 끼치고 있어!
맞아 맞아!
고생했어.
다녀왔어.
22194

뭐?
?
뭐지?

시간이 없어,
아지트로
돌아가자.

꽉

우선
상황부터
파악하고.
왕병의 위치,
아지트의 안부.

올리버 일행과
합류하자.

타다다
어떡
하지…
말도
안 돼….
이게 뭐야.
확

아무도
없어….

설마…
아니, 뭐가….
모두들….
어디로
간 거니?

여왕의 취미

제 161 화 Never Be Alone
저벅
샌디,
이리 와서
이것 좀 봐―.
덜컹
척
엠마?

제 161 화 Never Be Alone
아아아아아

안녕?
식용아 제군.

어서…
어서…!
아지트로!!
모두들…
제발, 제발
무사하기를…!!

보스!!

빈센트…
모두들…!

왜 이런
곳에….
다들
먼저
돌아
가랬
는데….
무사해서
다행이야…!

미안해, 보스…
우린…
지시를 지킬 수가
없어서….
보스가
걱정돼서…
미안.
헉
학
후우

바보야!
혹시 내가
죽기라도
했으면….
하다못해
더 안전한
곳에서.
보스는.

보스는…
「곧 따라
가겠다」고
했지.
그래서
기다린
거야.

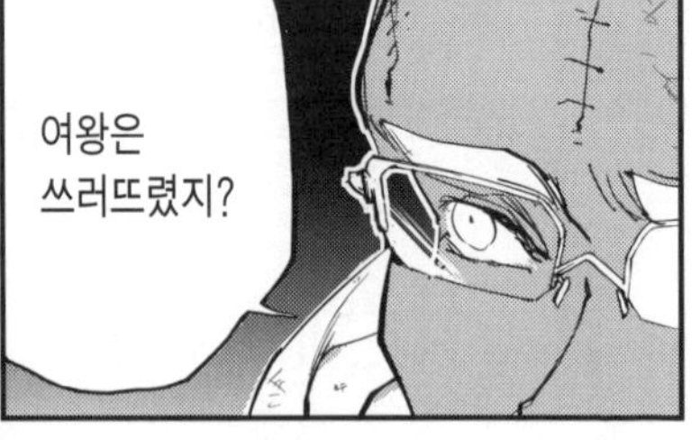
여왕은
쓰러뜨렸지?

그래,
죽었어.

타!!
어서
아지트로
가자!!

다각

있다!
엠마!
레이!!

화악
올리버?!

두근
술렁

큰일 났어.
모두가… 아지트가 …!

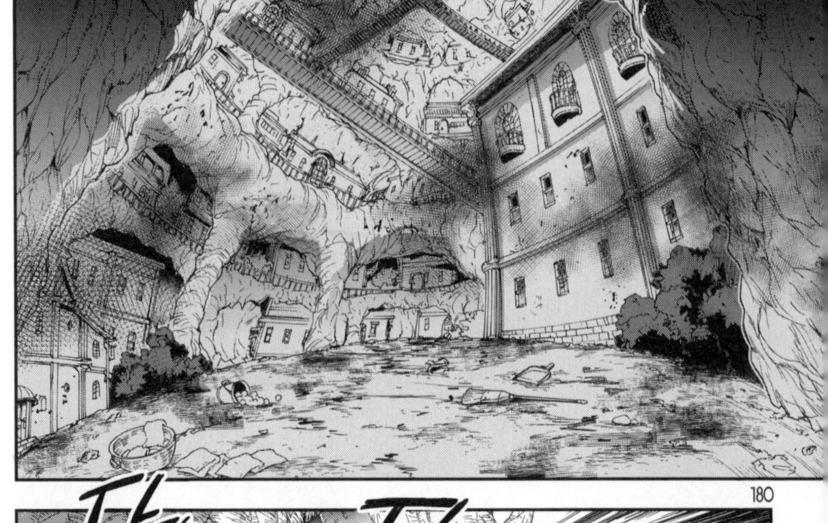

다각
다각

그 후―.
「질리언과
나이젤은 우선
아지트로!!」

맨 먼저
알리러
갔지만,
늦었어…!
네?!

이미
습격당한
후였어.
별동대였어.
그밖에도
부대가 여럿
있었던 거야.
적병의
총 수는
확인된 것만
약 2000명.
아이들은?

놈들에게
끌려갔어.
어디로?!
망을 보던
녀석들도
모두…
한 사람도
남김없이.

아지트에
소수 남아서
매복하던
귀신이 있어서
알아냈어.

「…필드.」
모두 지금
'이송'되고
있대.
식량으로
처리하기 위해
여기서 가장 가깝고
수비가 견고한
고급 농원….
「뭐?」
「탈주자
들은―.」

GF (그레이스 필드) 하우스에.

그래… GF라면 이베르크 관할이고 탈주자들 전원을 여왕에게 헌상할 때 다른 귀족들의 눈을 피하기도 쉬우니….

아니, 그런 게 문제예요?!

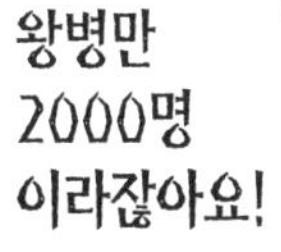
왕병만 2000명 이라잖아요!

토벌병의 거의 절반….
왕도 습격 때 성 안에서 해치운 병사의 거의 일곱 배다.
성 안에 300명.

게다가 그때는 길란이 있었어.

이제
더 이상 그런
귀신에게 충돌시
다른 귀신 세력
없어

그에 비해
이쪽은 겨우
10여 명….

게다가 부상으로…
최대전력인
Λ출신 세 명이
빠져야 하는 상태….

게다가
구한다고?
그 많은 병력에
포위된
수백 명의
동료들을….

어떻게
하지….
아니… 무리야.
이번만큼은
승산이 없어…
구할 수 없어….
꽈악…

가자.
GF로.

!!
망설일 것
없어.
모두를
구하러 가자.

그래도
…….
아니,
알긴 하지만
그걸 어떻게
하느냐는
말이잖아.
방법이
있어?
없어!
그러니까 이제부터
생각해야지!
엠마 그 말
또 나왔네.
그래도
「못하겠어,
어떡하지」
하는 것보다,
「할 수 있어!
어떻게 할까?」
하고 생각하는게
훨씬 나아.
!
괜찮아.

노먼이랑 레이랑 나, 셋이 있잖아.
너희들도 있고!
모두 함께 세계를 바꿔 왔어.
우리 안에서 태어나 보잘것없던 우리가 세계를 이만큼이나 바꿔 온 거야.
그리고 이제 한 발짝.
우린 이제 바로 한 발짝 앞까지 와 있어.

왕병
2000명과
러트리 가가
뭐 그렇게
대단해?
할 수 있어!
우리라면
괜찮아!
그러니까 믿고
생각을 하자!
훗.

후후… 하하,
하하하하하.
보스?!!

어쩐지
엠마가 말하니까
할 수 있을 듯한
기분이 드네.
확실히….
실제로
지금까진
모두 이루어
왔으니까.
실패한 적도
많아,
후회도
많이 했고….
!
양

하지만 그걸
두려워하면
볼 수 있는 것도
안 보이겠지.
그럼!

나중에
죽일 생각이라면
아직은 모두
살아 있을 거야.

2000명의 귀신…
러트리 가…
정면으로
덤비지 않으면
되겠지.

GF라면
미네르바 씨가 준
데이터에
설계도가 있었어.

노릴
타이밍은
GF
도착 후….
침입하는
거야?

결정됐어!

아아,
그래….
엠마는
이렇게
해서,
여기까지
왔구나.

「혼자가
아니야.」

그래,
생각났어,
이 감각.
약해도
좋아.

혼자가
아니야.

그래서
인간은
강한 거야.

약속의 네버랜드 18 / END

약속의 네버랜드

THE PROMISED NEVERLAND

절망
을 뒤엎기 위해

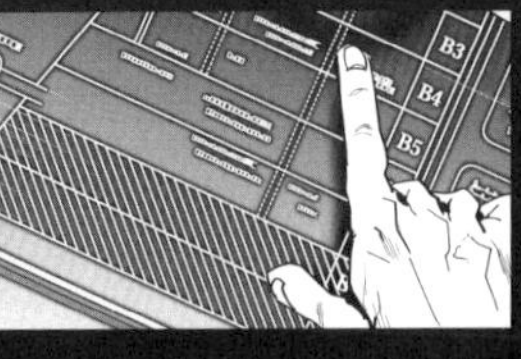

아이들은 가족이 기다리는
감옥 속으로

굳게 맺어진 동료와의 유대를 무기삼아

최종결전 개시!!

제19권을 기대하세요!

인류를 태우는 불꽃과 싸워라!!
초대형 배틀 판타지
시동!!
FIRESOLDIER
8
TOKYO
세계를 덮친 불꽃의 공포와 수수께끼.
거기에 맞서는 소년과 동료들.
불타는 괴물로 변한 인류를 구하라!
「소울 이터」
작가
최신작!!
불꽃
소방대
ushi Ohkubo/Kodansha Ltd.
주)학산문화사 / 문의 (02)828-8982~6

「난생처음 보는 존재와 맞닥뜨렸을 때,
인간은 인간이 아니게 된다.」

백혈구
일하는 세포

약속의 네버랜드 18

2020년 6월 25일 초판발행
2023년 10월 30일 5쇄발행

저　　자 : Kaiu Shirai, Posuka Demizu
역　　자 : 서현아
발 행 인 : 정동훈
편 집 인 : 여영아
편집책임 : 황정아 이은숙
미술담당 : 김홍진
발 행 처 : (주)학산문화사

서울특별시 동작구 상도로 282 학산빌딩
편집부 : 828-8988, 8842 FAX : 816-6471
영업부 : 828-8986
1995년 7월 1일 등록 제3-632호
http://www.haksanpub.co.kr

개정판 ISBN 979-11-411-2079-5 07650
ISBN 979-11-6927-122-6(세트)

값6,000원